BENTO BEIJA-
-NUVEM

Copyright © 2020 Carochinha

Todos os direitos reservados. Nenhuma parte desta obra pode ser reproduzida, arquivada ou transmitida, de nenhuma forma ou por nenhum meio, sem a permissão expressa e por escrito da Carochinha.

Impresso no Brasil

EDITORES Diego Rodrigues e Naiara Raggiotti

PRODUÇÃO
EDITORIAL Karina Mota
ARTE Bruna Parra e Elaine Alves
REVISÃO Carochinha
LETREIRO DO TÍTULO Lilian Og
MARKETING E VENDAS
PLANEJAMENTO Fernando Mello
ATENDIMENTO COMERCIAL E PEDAGÓGICO Eric Côco, Nara Raggiotti e Talita Lima

ADMINISTRATIVO
JURÍDICO Maria Laura Uliana
FINANCEIRO Amanda Gonçalves
RECEPÇÃO E ALMOXARIFADO Cristiane Tenca
RECURSOS HUMANOS Rose Maliani
EQUIPE DE APOIO
SUPORTE PEDAGÓGICO Cristiane Boneto, Nilce Carbone e Tamiris Carbone

Dados Internacionais de Catalogação na Publicação (CIP) de acordo com ISBD

T262b	Teichimam, Rai
	Bento beija-nuvem / Rai Teichimam ; ilustrado por Clara Gavilan. – São Paulo : Carochinha, 2020.
	48 p. : il. ; 20,5cm x 27,5cm.
	ISBN: 978-85-9554-057-6
	1. Literatura infantil. I. Gavilan, Clara. II. Título.
2018-1375	CDD 028.5 CDU 82-93

Elaborado por Odilio Hilario Moreira Junior - CRB-8/9949

Índice para catálogo sistemático:
1. Literatura infantil   028.5
2. Literatura infantil   82-93

1ª edição, 2020
1ª reimpressão, 2021

rua mirassol 189 vila clementino
04044-010 são paulo sp
11 3476 6616 • 11 3476 6636
www.carochinhaeditora.com.br
sac@carochinhaeditora.com.br

Siga a Carochinha nas redes sociais:
  /carochinhaeditora

A todas as crianças, e à intrigante condição de crescer, vocês são incríveis, obrigada por tanto.

— R. T.

ILUSTRAÇÕES
CLARA GAVILAN

BENTO BEIJA--NUVEM

RAI TEICHIMAM

carochinha

Bento era um beija-flor.

Ele tinha vindo de uma família muito tradicional de beija-flores, que vivia em uma majestosa floresta.

Na companhia dos pais e dos dois irmãos, Bento beijava flores todos os dias — sem falta e com muita alegria — para se alimentar do néctar.

Durante a busca pelo néctar, entre uma flor e outra, a brincadeira preferida de Bento era encontrar formas conhecidas ao olhar para as nuvens.

— Olhe lá! — ele apontava. — Parece a boca de um jacaré. E aquela outra ali no meio do céu parece um caramujo; e aquela, um tucano, e a outra, um coqueiro. Lá, naquele outro lado do céu, tem uma melancia!

E seguia assim. A cada flor que beijava, escolhia uma nuvem para olhar e adivinhar com qual elemento da natureza ou animal ela parecia.

Bento carregava em sua cabecinha uma coleção de formas de nuvens, e conseguia se lembrar de cada uma das muitas que já tinha visto em sua pequenina vida.

Um belo dia, enquanto beijava as flores, Bento disse:

— Olhem lá, mãe, pai, aquela nuvem meio rosada tem o formato de uma flor de hibisco. Vejam como ela é gigante! Vamos lá, bem alto no céu, beijar aquela nuvem!? Vamos, vamos, vamos logo!

— Querido, pare com isso. Lá é alto e difícil de chegar... — disse sua mãe. E completou: — Diria até mesmo impossível, porque você ainda é muito pequeno.

O pai de Bento não falou uma palavra. Ele riu, em alto e bom som, e isso foi o suficiente.

Assim como o pai, os irmãos de Bento também riram.

— Hahahaha, pare de ser bobo, lá onde estão as nuvens é muito longe! Essa é boa! Ele quer beijar nuvens! — disse o irmão mais velho, zombando de Bento.

— Hahahaha, Bento Beija-Nuvem, Bento Beija-Nuvem! Vou contar para todos da escola de voo a besteira que você acabou de falar! — disse o irmão mais novo, rindo muito.

Bento ficou triste. Como um dia lindo daquele podia ter se transformado em poucos segundos em um dia tão ruim?

E por que justo ele, que voava tão rápido e batia as asas mais de setenta vezes por segundo, não conseguiria chegar até as nuvens?

— Pois vocês vão ver que eu consigo, sim, beijar uma nuvem! — disse Bento, e saiu voando bem alto em direção à nuvem em forma de hibisco.

Voou, voou, voou e, quando estava no meio do caminho, o Vento, que era muito, muito forte, disse:

— Passarinho, saia da frente. Você está atrapalhando a minha passagem e eu não posso parar de ventar.

— Não saio! Desculpe, mas preciso beijar aquela nuvem em forma de hibisco antes que você acabe mudando o formato dela — respondeu Bento, decidido.

O Vento, porém, seguiu seu rumo e levou Bento para a direção oposta. O pequeno beija-flor foi parar do outro lado da floresta, bem longe da nuvem, mas bem perto da Samaúma, a maior árvore que Bento já tinha visto.

— Beija-Flor, o que está fazendo por aqui, tão longe da sua casa?

Segurando o choro, Bento respondeu:

— O Vento me empurrou para cá. Eu quero chegar àquela nuvem em forma de hibisco, mas minha mãe disse que sou muito pequeno e não vou conseguir. Já o meu pai... ele riu da minha ideia, e meus irmãos riram ainda mais, caçoando de mim.

— Ora, ora, tamanho não é documento. Olhe só para mim! Hoje, sou a maior árvore desta floresta, mas, antes de ter todo este tamanho, eu era uma sementinha menor do que você. Transforme as risadas deles em adubo, pequeno, e cresça forte.

Bento suspirou e disse:

— Obrigado pela dica, Samaúma! — e seguiu confiante para tentar mais um voo.

Bento voou alto, muito, muito alto, e mais forte e rapidamente do que o Vento. O céu parecia não ter mesmo limites.

No entanto, Bento não iria longe. No meio do caminho, se assustou com o clarão do Relâmpago, que o fez cair mais uma vez.

— Desculpe por tê-lo assustado, menino, e cuidado com meu parceiro, o Trovão, que vem por aí — disse o Relâmpago.

Mas Bento ficou tão furioso por ter caído que nem ouviu as desculpas do Relâmpago, muito menos o aviso sobre o Trovão, que estava por vir. Decidido a beijar aquela nuvem, o pequeno pássaro subiu igual a um falcão em direção ao topo do céu.

No caminho encontrou a Borboleta, que estava por perto observando tudo.

— Garoto, aonde você vai? Não ouviu o que o Relâmpago falou? O Trovão vem por aí.

— Não tenho tempo para conversas. Tenho que beijar a nuvem em forma de hibisco antes que ela suma de vez do céu.

— Ei, me escute! Antes de eu virar uma borboleta, eu era um casulo e, antes do casulo, uma lagarta. Tudo tem seu tempo. O Relâmpago já passou, espere também o Trovão passar e depois a...

Antes mesmo de a Borboleta acabar de falar, veio o Trovão.

Foi um som tão alto que daria para ouvir do outro lado do mundo.

Bento titubeou, mas não caiu, recuperou a velocidade do voo e subiu; subiu até que encontrou a Gota de Chuva.

— Ei, rapaz, saia da frente! Estou descendo e logo atrás vem toda a minha família Chuva. Hoje não vamos parar um minuto sequer e, se molharmos suas penas, elas ficarão tão encharcadas que você não terá forças para bater as asas e cairá.

— Vou ter que tentar! — disse Bento.

E lá foi ele. Driblou a primeira gota, driblou a segunda gota e driblou a terceira gota, mas logo vieram tantas outras que, mesmo sendo um ótimo aluno na escola de voo, não conseguiu se esquivar de todas elas.

Bento ficou encharcado, as penas estavam pesadas e ele não conseguia mais voar para cima por causa de tantas gotas que vinham no sentido contrário.

E adivinhem só o que aconteceu com Bento: caiu mais uma vez. Caiu forte, no chão duro e, desta vez, doeu muito, doeu tudo, até o coração. Bento chorou alto, mais alto que a risada do pai.

Ficou ali, chorando e chorando... Bento chorava tanto que nem sabia mais distinguir os pingos de chuva de suas lágrimas, pois estavam misturados na poça enorme que havia se formado no chão.

Cansado, dormiu.

E o remédio mais precioso para qualquer sensação ruim é o tempo.

A Chuva se foi, o Sol apareceu e Bento acordou.

— Ei! Psiu, acorda! — disse a Vó Formiga. — O que você está fazendo aí na poça de chuva?

— Bom dia, Vó Formiga. Nem sei por onde começar a minha história. Eu estava tentando beijar uma nuvem em forma de hibisco e...

— Que bom que conseguiu! — comemorou a Vó Formiga.

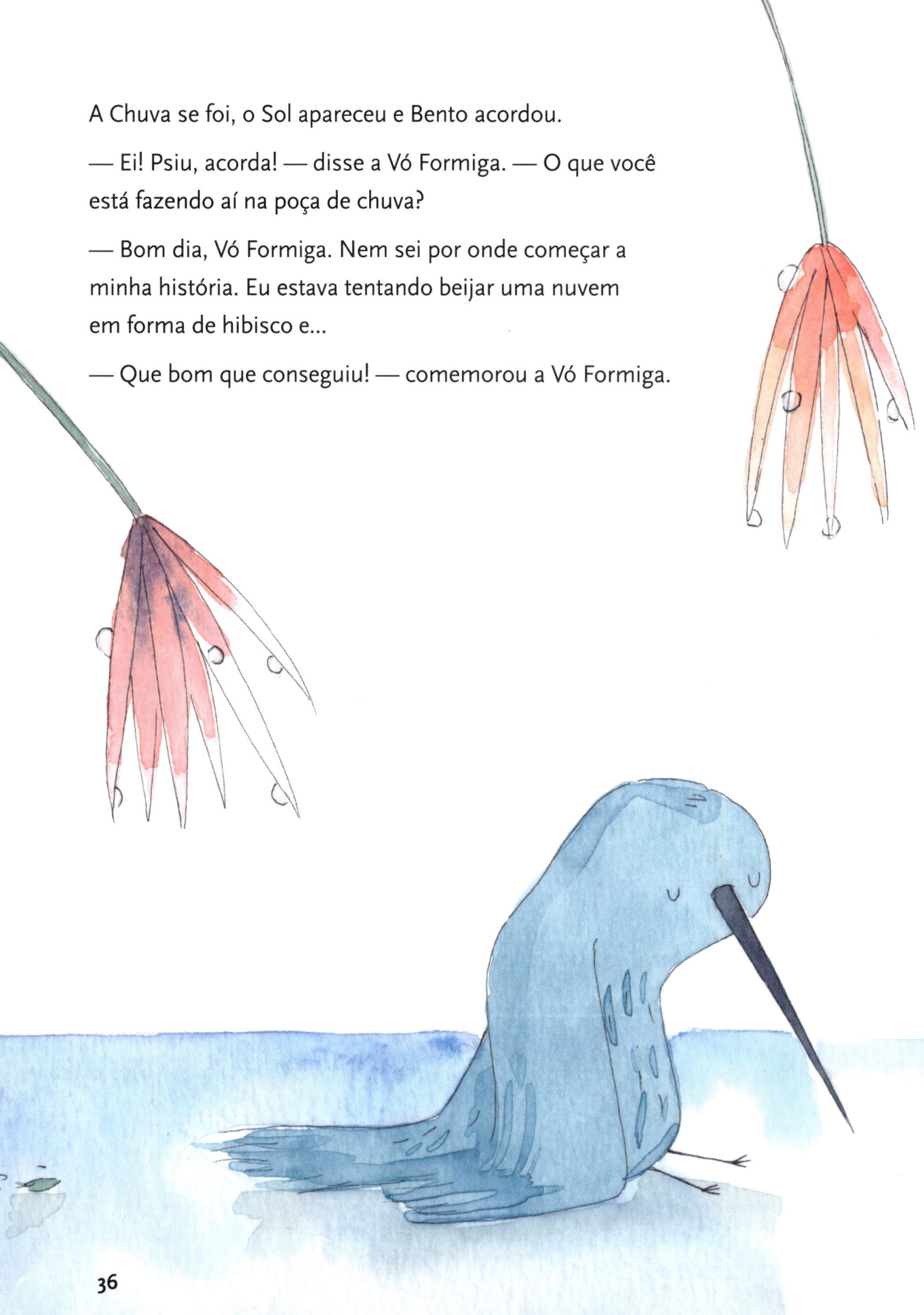

— Não, não consegui, mas tentei; tentei uma, duas, três e quatro vezes, mas não foi o bastante.

— Ué, e esse tanto de nuvem ao seu redor?

— Nuvem? Onde?

— Aí! — a Vó Formiga apontou para a poça em volta de Bento.

— Isso é água da Chuva, Vó Formiga...

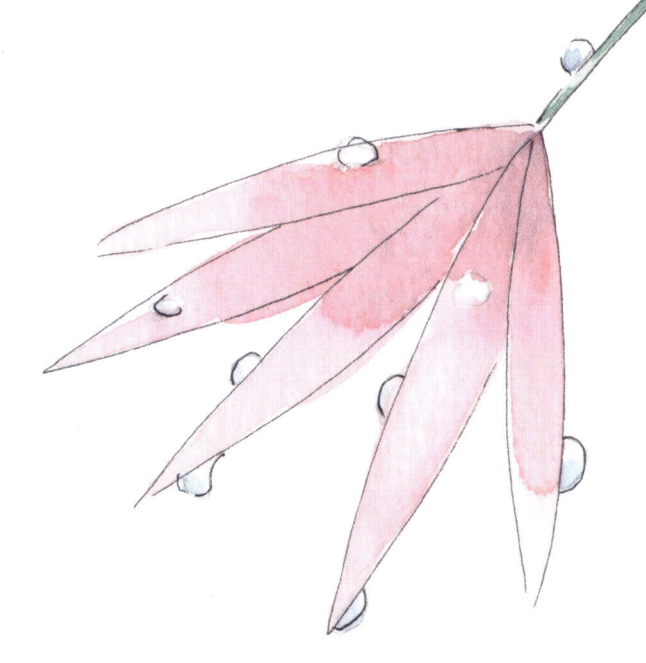

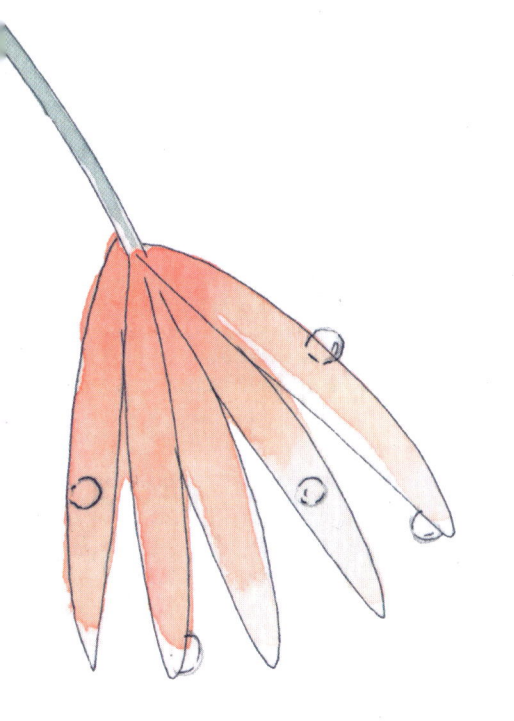

— Ah, rapazinho, mas, antes de isto ser água de chuva, essa água viajou muito, passou pelo mar, pelo rio e, com o sol, evaporou, virou nuvem, que morou bem alto lá no céu. E, antes de ser a sua flor de hibisco, ela teve muitas outras formas até condensar e cair em forma de…

— ... chuva! — completou Bento. — É essa chuva que fica nas flores que eu e minha família beijamos para pegar o néctar e matar a sede todos os dias.

— Bem pensado! — concordou a Vó Formiga.

— Então quer dizer que eu beijo nuvens a vida toda? — quis confirmar Bento.

— Ah, meu rapaz, tudo é uma questão de ponto de vista — disse a Vó Formiga, e saiu.

Bento sentiu o coração bater alegre.

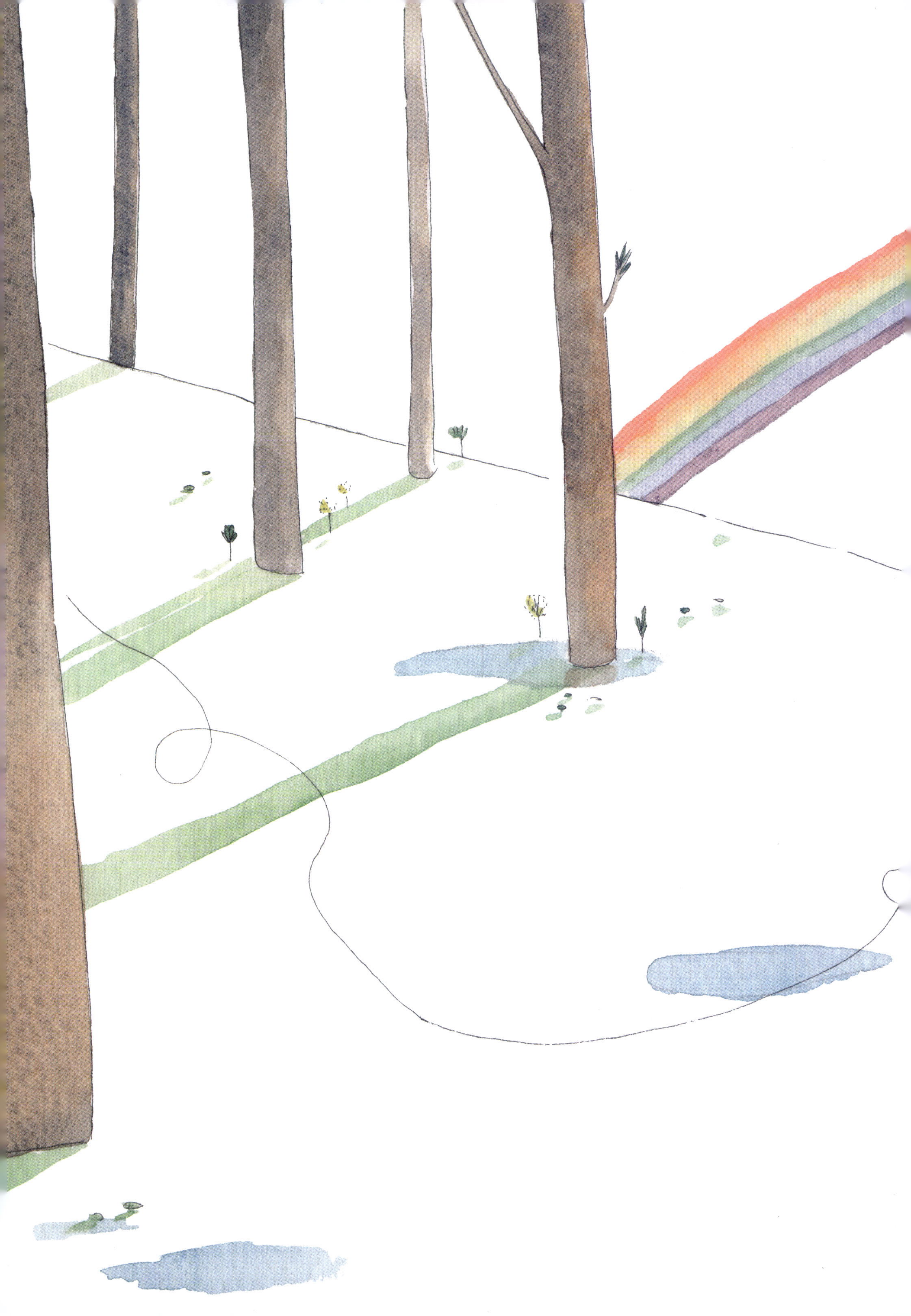

Foi então que o Sol apareceu e presenteou o pequeno Beija-Flor com um lindo Arco-Íris, mostrando que...

... existe o tempo das coisas.

Existe o tempo da natureza.

E existe o tempo do coração.

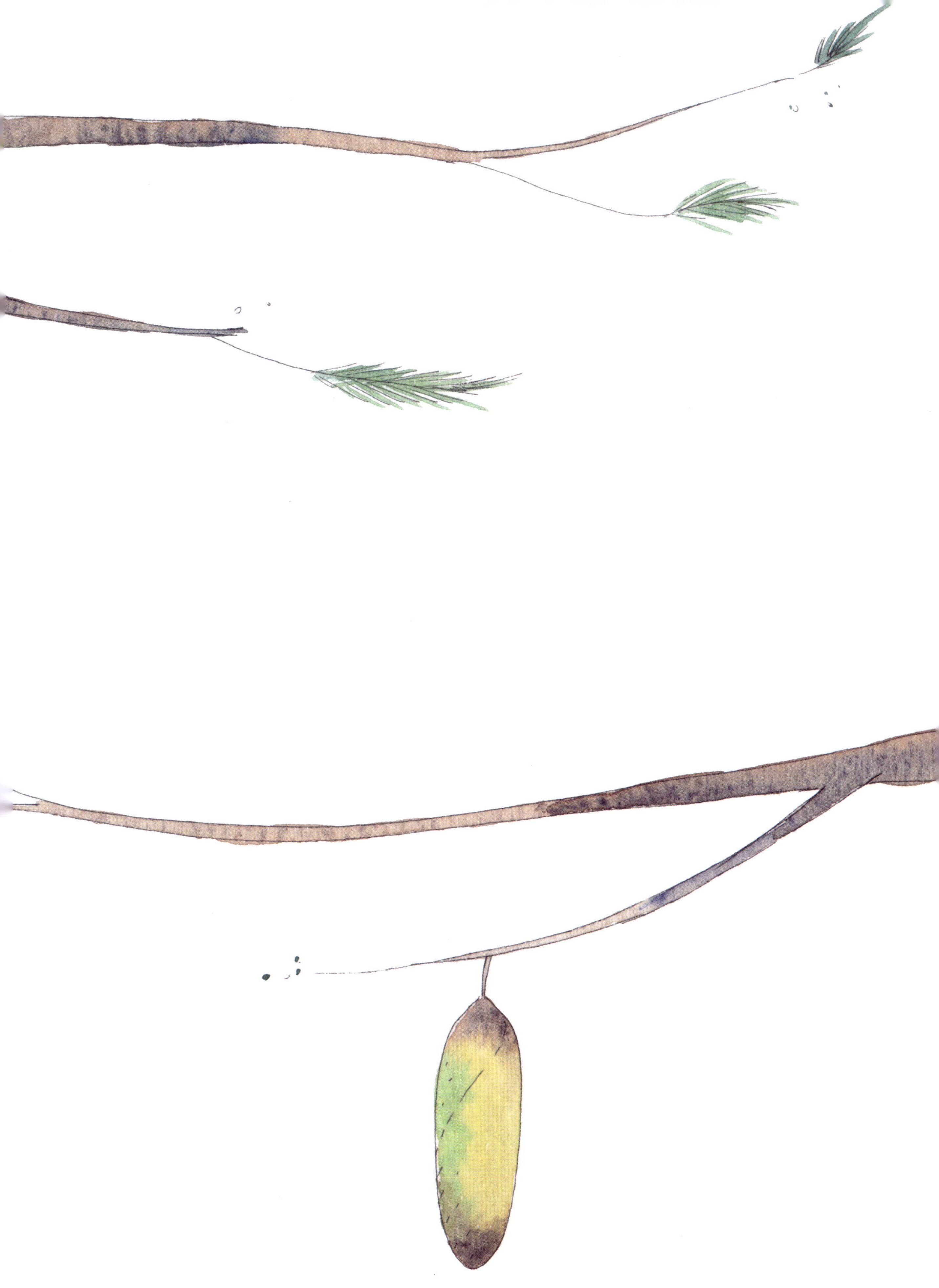

Bento sabia agora o que isso significava, e continuou por aí, colecionando desenhos nas nuvens, no infinito ciclo da vida.

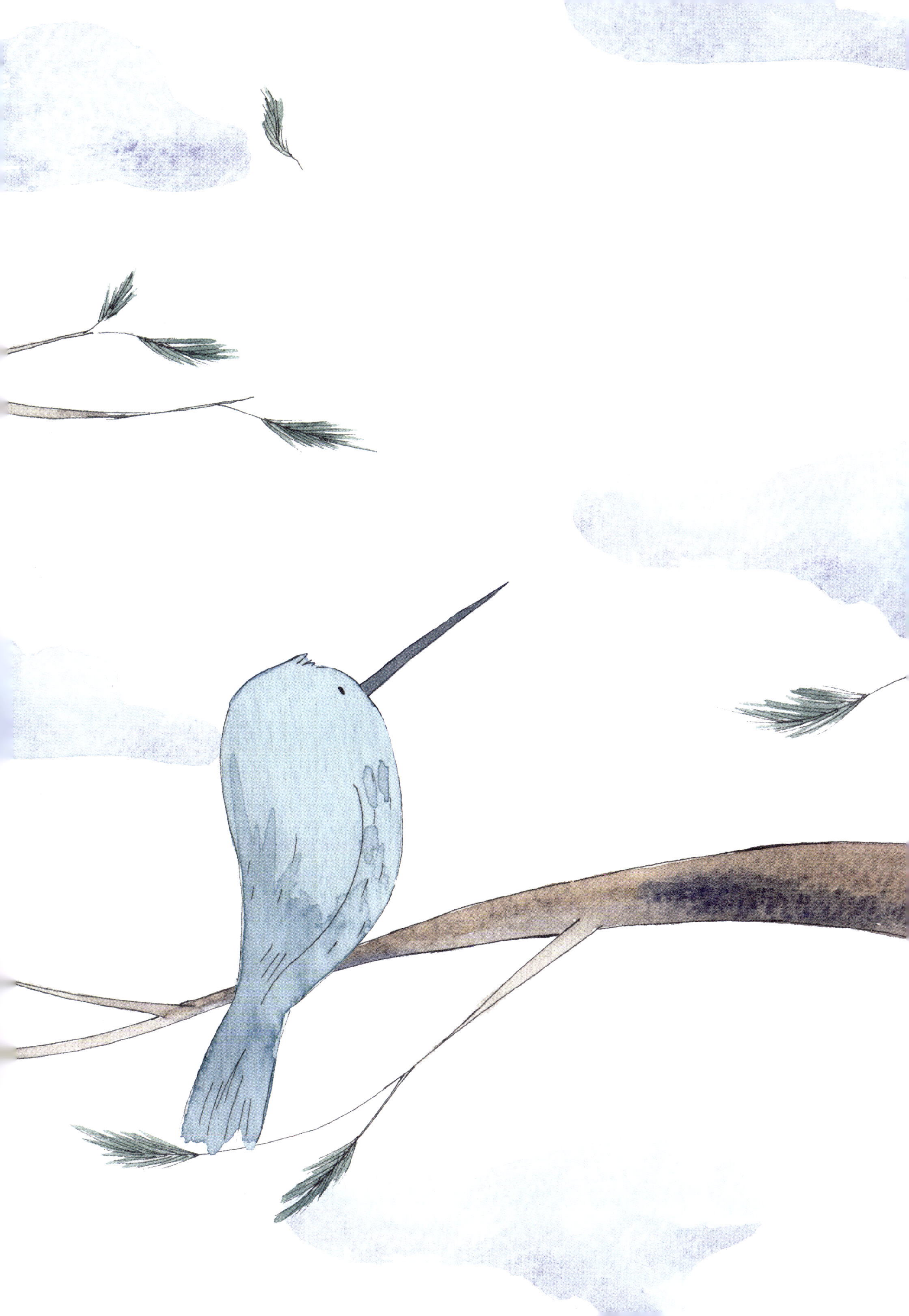

Rai Teichimam

Oi! Meu nome é Rai Teichimam, e eu sou a autora deste livro. Vou contar um pouquinho da minha história para nos conhecermos melhor.

Sou formada em Comunicação das Artes do Corpo pela PUC-SP.

Além de escritora e locutora, também sou atriz. Já atuei em mais de trinta peças de teatro e trabalhei em várias novelas — a mais recente foi *Carinha de anjo*, em que interpretei a personagem Fátima.

Há dez anos me dedico ao universo infantil com a Cia. Laço de Teatro, da qual sou fundadora e que produz espetáculos e contações de histórias para crianças.

Em 2018 inaugurei a Casa Laço de Teatro, sede da Cia. e escola de teatro para crianças. Hoje me dedico a atuar, locutar (trabalhar como locutora) e escrever. E foi escrevendo por aí que este livro tomou forma. Boa leitura!

Clara Gavilan

Olá! Sou Clara Gavilan, a ilustradora deste livro. Nasci em 1987 e sou niteroiense. Também sou colecionadora de livros infantis por puro gosto. Ministro aulas de desenho e pintura desde 2009 e já emprestei meus dotes "desenhísticos" a vários livros infantis.

Descobri a graça dos traços e da aquarela ainda na faculdade. Falando em faculdade, sou formada em Design Gráfico pela PUC-Rio, mas também me especializei bastante para poder virar ilustradora de livros para crianças: na Escola Superior de Desenho Profissional (Esdip), em Madri, fiz uma especialização em Ilustração Editorial e, no Centro Universitário de Desenho e Arte, em Barcelona, me especializei em ilustração de livro infantil.

Tenho um blog chamado Gavilan. Com o passar do tempo, ele foi ganhando destaque, pois é onde meus personagens – bichos e humanos – ganharam vida e personalidade.

Vi na ilustração infantil minha aspiração, dedico grande parte de meu tempo a isso, e pretendo continuar ilustrando até ficar velhinha.

Um dia, depois de tanto beijar nuvens, Bento voou, voou...
até que encontrou o Reino da Carochinha, onde fez grandes amizades e
acabou contando sua história para os habitantes do Reino,
que a transformaram neste livro, em fevereiro de 2021.